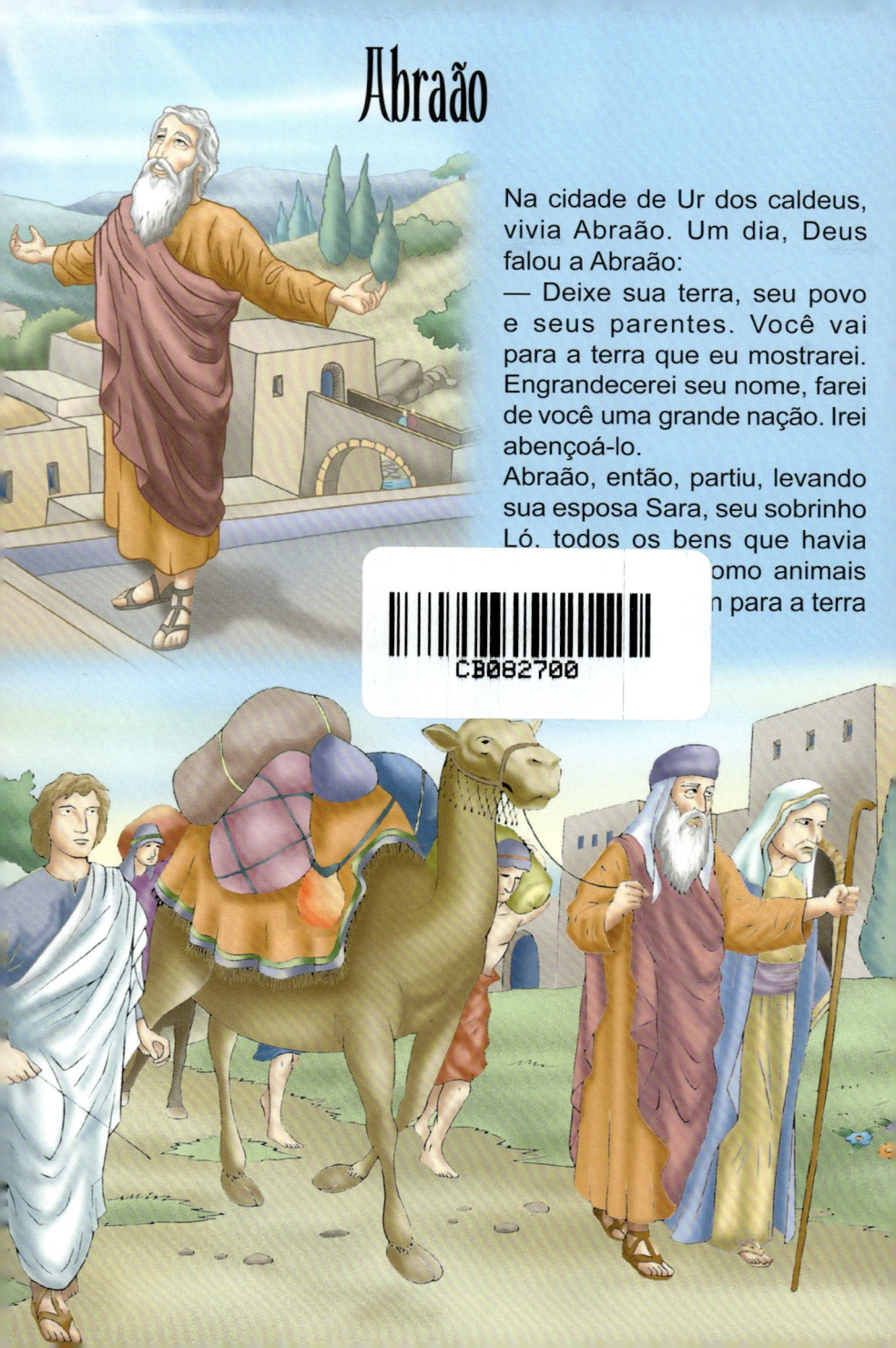

Abraão

Na cidade de Ur dos caldeus, vivia Abraão. Um dia, Deus falou a Abraão:
— Deixe sua terra, seu povo e seus parentes. Você vai para a terra que eu mostrarei. Engrandecerei seu nome, farei de você uma grande nação. Irei abençoá-lo.
Abraão, então, partiu, levando sua esposa Sara, seu sobrinho Ló, todos os bens que havia adquirido, como animais e servos, para a terra

Chegando em Canaã, Abraão ergueu em Betel um altar para agradecer a Deus. Durante um certo período houve fome naquela terra, desceram então para o Egito, mas depois retornaram.

Abraão era muito rico, possuía muito gado, seu sobrinho Ló também. Como a terra não podia sustentar todo este gado, Abraão e Ló separaram-se. Abraão tinha 99 anos e não possuía filhos.

Deus apareceu para Abraão e disse:

— Eu sou Deus Todo-Poderoso, ande comigo, faça o que é certo e seja justo. Farei de você o pai de muitas nações. Olhe para o céu e conte as estrelas, olhe para o mar e conte os grãos de areia. Assim será a tua descendência, tão numerosa que não poderão contar.

Deus disse ainda:

— Abençoarei Sara, sua esposa será mãe de um filho. Você o chamará de Isaque.

Deus foi bom para Sara.

Ele cumpriu sua promessa, mesmo sendo de idade avançada, Sara teve um filho. Abraão chamou seu filho de Isaque, conforme Deus havia dito. Isaque crescia. Era a alegria de seus pais.

Um dia, Deus põe à prova a fé de Abraão:

— Abraão!
— chama Deus.
— Eis-me aqui
— responde Abraão.
Acrescentou Deus:
— Pegue seu fiho único, Isaque, a quem ama, e vá até o monte Moriá. E lá sacrifique-o como oferta para mim.

Levantou-se Abraão de madrugada, preparou seu jumento, cortou lenha para queimar a oferta e juntamente com seu filho Isaque foram para o lugar que Deus havia indicado. Isaque levava a lenha, Abraão levava nas mãos o fogo e o facão. Enquanto andavam, Isaque perguntou:

— Pai, o fogo e a lenha estamos levando, mas onde está o cordeiro para a oferta?

Abraão respondeu:
— Deus proverá o cordeiro, meu filho.
— E seguiam juntos.

Chegando no lugar que Deus determinara, Abraão construiu um altar, pôs a lenha sobre ele. Amarrou seu filho e o colocou sobre a lenha do altar. Então pegou o facão para sacrificar seu filho. Mas, no mesmo instante, do céu gritou o anjo do Senhor:

— Abraão, Abraão! Não faça mal ao jovem. Agora sei que amas a Deus, porque não se negou a dar o seu único filho.

Abraão olhou e viu atrás o seu cordeiro, preso pelos chifres entre os arbustos. Abraão apanhou o carneiro e o ofereceu no lugar de seu filho. Porque ele confiou no Senhor até o fim, Abraão é considerado o Pai da Fé.

Esaú e Jacó

Isaque (filho de Abraão, o Pai da fé), cresceu e casou-se com Rebecca.

Ele orou a Deus para que sua esposa lhe desse filhos.

Deus ouviu sua oração e Rebecca teve gêmeos: Esaú e Jacó.

Eles cresceram. Esaú era um rapaz forte e destemido, tornou-se um caçador. Jacó, por sua vez, era um rapaz tranquilo e prestativo, ajudava a mãe e apascentava o rebanho de seu pai.

Isaque gostava de caça, por isso apreciava o jeito do seu filho Esaú. Rebecca preferia Jacó.

Um dia, Esaú retornava faminto de uma caçada, quando viu Jacó preparando uma sopa de lentilhas. Esaú pediu ao irmão que lhe desse um pouco, pois estava faminto. Jacó, então, disse:

— Só darei se você vender-me o seu direito de filho mais velho. (Esaú havia nascido minutos antes de Jacó, portanto ele era o mais velho).

Esaú disse:

— Estou quase morrendo de fome. Para que me servirá este direito? Dê-me a comida.

Jacó insistiu: - Jure que este direito agora é meu.

Esaú respondeu: — Está bem, eu juro.

Jacó, então, serviu a Esaú pão e um prato de lentilhas. E, assim, Esaú vendeu por um prato de lentilhas os seus direitos de filho mais velho. Isaque, pai de Esaú e Jacó, já estava com idade avançada e não enxergava mais. Certa ocasião, ele chamou Esaú e disse:

— Estou velho e não sei o dia da minha morte. Vá para o campo e traga para mim uma boa caça para que eu coma e depois te abençoe.

Rebecca, ouvindo o pedido de Isaque, correu até Jacó e disse:

— Ouvi seu pai pedir a Esaú que traga uma boa caça para comer e assim abençoá-lo. Vá até o rebanho e volte com dois bons cabritos, irei preparar um saboroso prato para você levar a seu pai para que ele o abençoe no lugar de Esaú.

Jacó perguntou:

— Como vou tomar o lugar de meu irmão? Ele é peludo e eu sou liso!

Rebecca respondeu:

— Obedeça-me e eu farei o resto.

Rebecca, então, vestiu seu filho Jacó com a melhor roupa de Esaú e cobriu o pescoço e os braços dele com as peles dos cabritos. Jacó pegou o prato preparado por sua mãe e foi até seu pai.

— Pai, eis-me aqui! — disse Jacó. Isaque estranhou Esaú ter voltado tão cedo da caçada e pediu que seu filho se aproximasse.

Mas, ao sentir o cheiro da roupa de Esaú (que Jacó vestia) e apalpar as peles de cabritos, pensando que era mesmo Esaú, comeu do prato e em seguida abençoou Jacó. Esaú, quando soube o que seu irmão tinha feito, irado, quis vingar-se. Temerosa de uma tragédia, Rebecca aconselhou a Jacó que fugisse para a casa de seu irmão, Labão, e só retornasse quando a ira de Esaú passasse. Jacó caminhou muitas léguas até cair a noite. Cansado de tanto andar, deitou-se no chão, repousou sua cabeça numa pedra e dormiu. Sonhou com uma escada que ia até o céu, anjos desciam e subiam por ela e lá no alto da escada estava o Senhor. Deus falou a Jacó:

— Eu sou o Deus de seus pais, não tenha medo, Eu guardarei e abençoarei você.

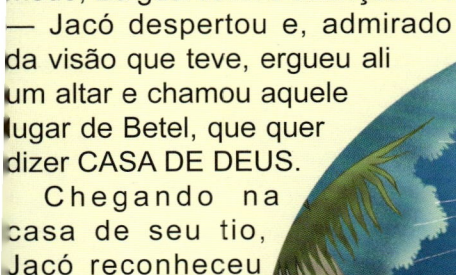

— Jacó despertou e, admirado da visão que teve, ergueu ali um altar e chamou aquele lugar de Betel, que quer dizer CASA DE DEUS.

Chegando na casa de seu tio, Jacó reconheceu suas primas Lia e Raquel.

Apaixonou-se logo por Raquel, pedindo-a em casamento. E Labão disse que ele teria de trabalhar sete anos por ela. Passados os sete anos, Labão enganou Jacó, oferecendo-lhe Lia, a mais velha, em casamento e se ele quisesse casar com Raquel teria de trabalhar mais sete anos. Jacó assim o fez e, finalmente, casou-se com Raquel.

Os dias se passaram, Jacó prosperou e suas esposas lhe deram muitos filhos. Achando ser a hora de voltar à sua terra, reuniu seus rebanhos, a família e partiu. Enviou empregados na frente com presentes para seu irmão, tentando, assim, agradá-lo e conseguir o seu perdão.

Chegando junto do ribeiro, no vale de Jaboque, Jacó fez toda a sua família passar e ficou só. Naquele momento, apareceu um homem que lutou com ele.

Jacó não sabia, mas estava lutando com um anjo. Lutaram a noite toda e quando já estava amanhecendo, o anjo disse:

— Deixe-me ir.

Jacó falou:

— Só deixarei você ir se me abençoar.

O anjo perguntou:

— Qual é o seu nome?

— Jacó — ele respondeu.

— Pois agora seu nome será Israel, pois como príncipe você lutou com Deus e os homens e foi vencedor. — Quando o anjo se foi, Jacó seguiu viagem e, reunindo-se com sua família, foi ao encontro de Esaú. Ao avistar o irmão vindo ao seu encontro com um exército de 400 homens, seguiu na frente e prostrou-se com o rosto na terra. Esaú desceu do cavalo e correu na direção de Jacó e o abraçou, demonstrando assim que o perdoou. Verdadeiramente, o amor foi mais forte que a vingança e Deus abençoou grandemente Jacó, segundo a sua promessa.